MW00364166

PRONUNCIATION GUIDE
Vowels

Unstressed		**Stressed**	
a,a	like *a* in *a*bout	**a, ā**	like *a* in b*a*r, t*a*r
e	like *e* in n*e*t, s*e*t	**e**	like *e* in n*e*t, s*e*t
		ē	like *ay* in l*ay*, b*ay*
i	like *i* in *i*nk	**i, ī**	like *ee* in b*ee*, s*ee*
o	like *o* in n*o*, s*o*	**o, ō**	like *o* in h*o*le, s*o*le
u	like *oo* n*oo*n, *u* bl*ue*	**u, ū**	like *u* in tr*u*e, *oo* sp*oo*n

Where two vowels appear together both vowels are
pronounced with the emphasis on the first vowel.
When three vowels are together the emphasis is usually
on the middle vowel.

' a glottal stop is a slight pause between letters similar to
the English exclamation, "oh-oh."

Hawaiian Words and Pictures

Cassandra Land-Nellist

Hawaiian Vocabulary

Hawaiian Language Resources

PRESS PACIFICA, LTD.

Library of Congress Cataloging-in-Publication Data
Land-Nellist, Cassandra,
    Hawaiian Words and Pictures / Cassandra Land-Nellist.
    144 p.,
    Includes index.
    ISBN 0-916630-76-5 (hard cover)

    1. Hawaiian language – Vocabulary. 2. Picture dictionaries.

I. Title.   95-37584
PL6443.L36   1995   CIP
499'.4–dc20   AC

Printed by Everbest Printing Company, Ltd.,
Hong Kong

Available from the publisher:

PRESS PACIFICA, LTD.
P.O. Box 47 • Kailua, HI 96734
Telephone/Fax (808) 261-6594

I would like to express my aloha

to all the beautiful children

Dannah and Zane Waitley

April Nellist (at one year)

Chancellor and Clayton Corns

Devon and Taylor Yamauchi

George Hong Tang

the children of the
Kamehameha Day Parade

To Kapuna Leolani Pratt
for her help in the early
days of this project, to
Liana K. Iaea Honda for
her search for the exactly
right word to go with each
picture and to my publisher,
Jane Wilkins Pultz.

nā hoe waʻa

ka pōhaku hekau

ka hoe

Hōkūle‘a

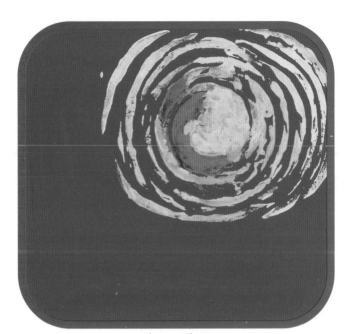

ka lā

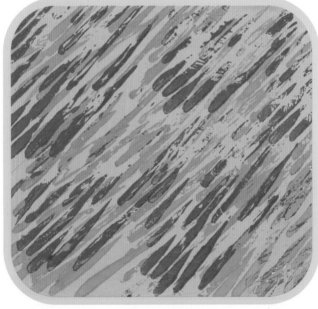

ka ua

ka mahina

ke ānuenue

ke ao

nā hōkū

ka moana

ka palapala 'āina o Hawai'i

ka nane ‘āpana

ke kaula lele

ke kinuwā

nā kinikini

nā pōpoki

ka iʻa ʻulaʻula

ka ʻīlio

ka lāpaki

ka ʻelepani

ke kika

ke kilape

ka pea

ke pākaukau hana

ka ipukukui

ka puke

nā penikala

ka toka

ka poloka

ka moʻo

ke kameleona

ke ka'a 'ōhua

ke ka'a kinai ahi

ke ka'a lawe 'ōpala

ke ka'a

ka mokulele

ka moku

ka hale

ka hale papaʻi

ka puka

ka pā hale

ka pukaaniani

ka ʻīpuka

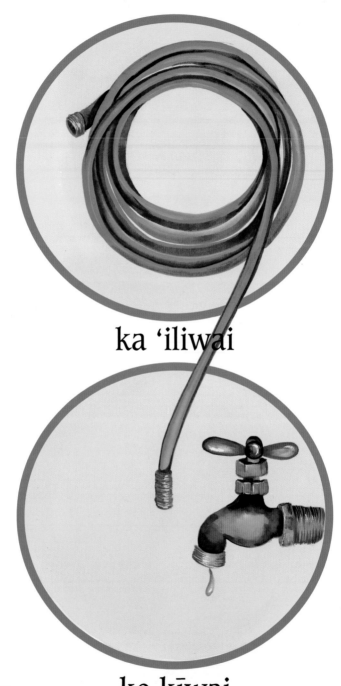

ka ʻiliwai

ke kīwai

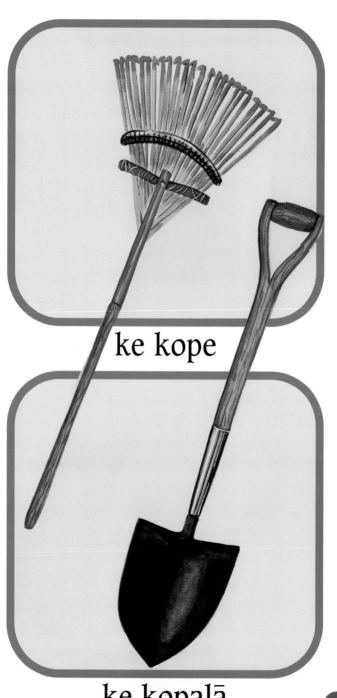

ke kope

ke kopalā

ke poho mea kanu

ka ʻōʻō pālahalaha

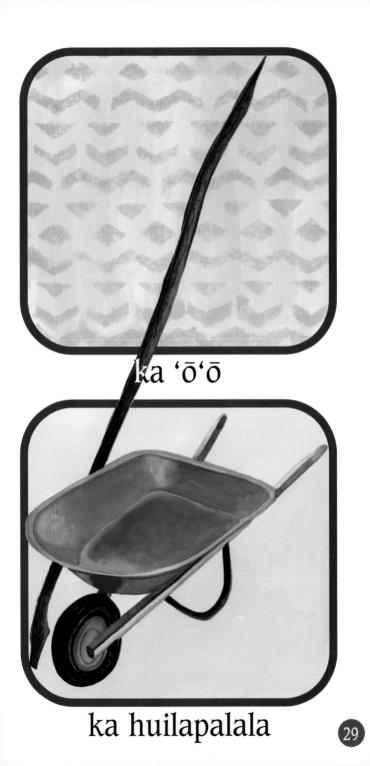

ka ʻōʻō

ka huilapalala

ka ‘apapane

ka ‘ākepa

ka ʻelepaio

ka nuku puʻu

nā pūpū kani oe

nā ʻōpae

ka hīhīwai

ka ʻoʻopu nōpili

33

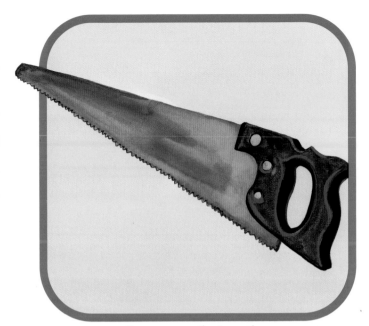

ka pahi olo

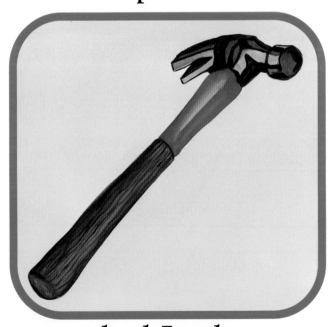

ka hāmale

ka ʻūpā ʻūmiʻi

ke kuikala

ka manō

ka honu

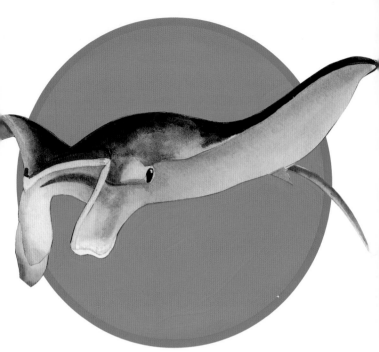

ka hāhālua

ka lauwiliwilinukunuku‘oi‘oi

ka pua aloalo

ka ʻokika

ka naupaka

ka ʻawapuhi

ka pua melia

ke koali

nā lei like 'ole

ka halepe‘a

ke ‘eke moe

ka hao

ka ipukukui hele pō

ka māmalu

ke ʻeke

nā kāmaʻa puki

ke kuka ua

ka hau

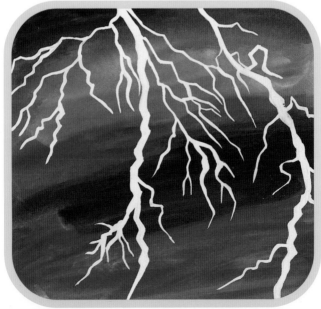

ke kaula uila

ke ahi

ka hau

ke kapa

ka iʻe kuku

ka ʻumeke

ka pōhaku kuʻi ʻai

49

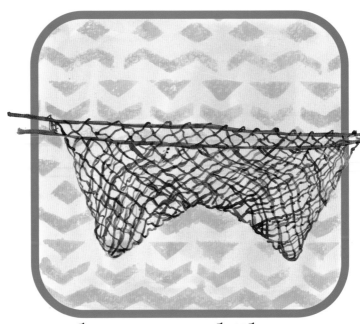

ka 'upena kāhe'e

nā makau

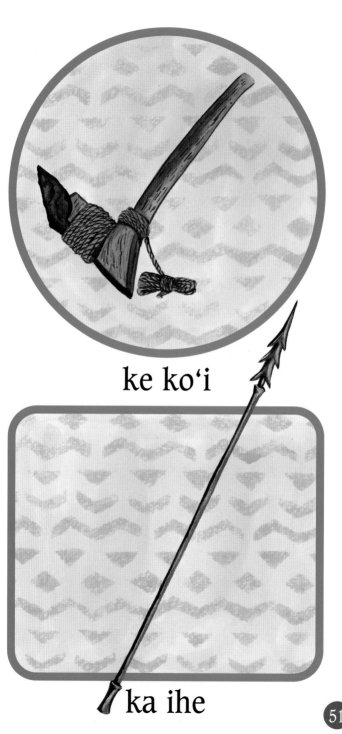

ke koʻi

ka ihe

51

ke kāne hula

ka pahu

ka wahine hula

nā ʻulīʻulī

ke kalo

ka ʻulu

ke kō

ka mai'a

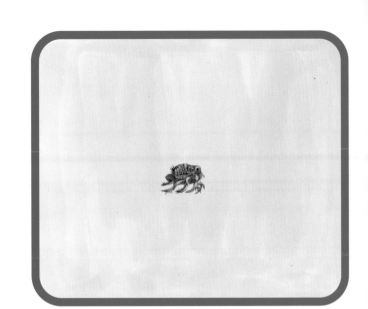

ka ʻuku

ka makika

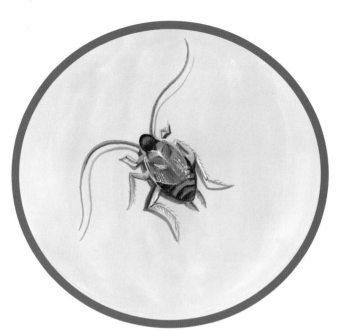

ka ʻelelū

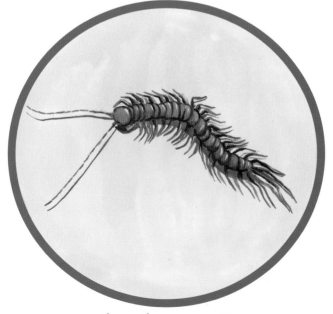

ke kanapī

ka leho

ka pū ʻolēʻolē

ka ʻōpae luahine

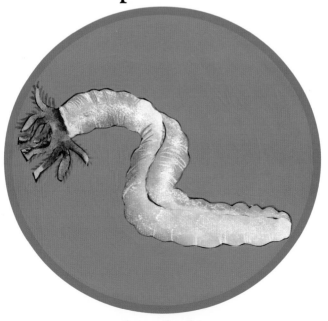

ka loli

ka ula

ka pāpaʻi

ka puhi

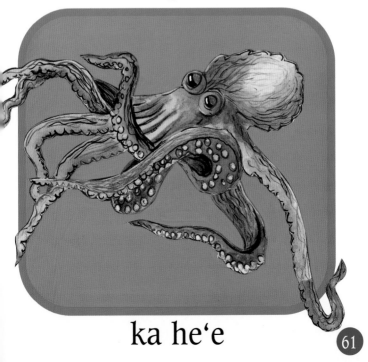

ka heʻe

ka manini

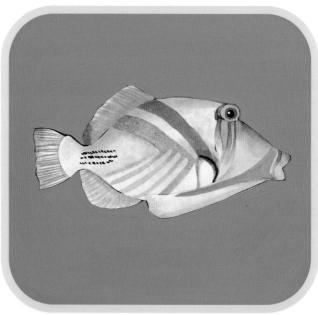

ka humuhumunukunukuapua‘a

nā ʻamaʻama

ka weke

nā keiki

65

ka noho

 ke pākaukau pikiniki

ka pa'akai a me ka pepa

ka ipu kope

nā puna

ke pā

nā ʻō

nā pahi

ka paikikala

ke ka'a huki

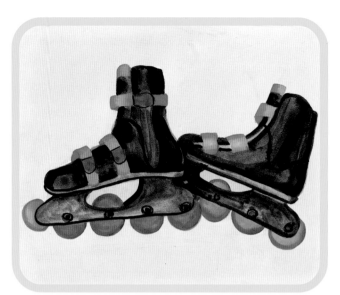

nā kāmaʻa lapa huila

nā papa huila

ka wahine kau lio

ka paniolo

nā pipi

ka ʻēkake

ke kakā

ka hipa

ke kao

ka pelehū

75

ka pulelehua

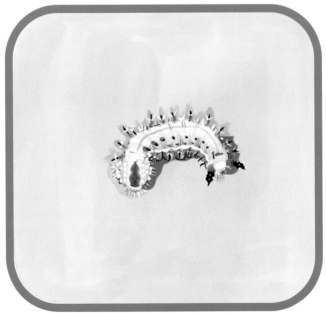

ka ʻenuhe

ka lanalana

ka ʻūhini

ka heʻe nalu makani

ka papa heʻe nalu

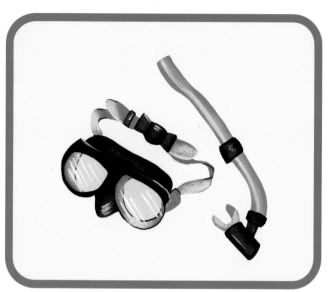

ka makaaniani lu'u kai, ka paipu hanu ea

nā kāma'a pekekeu

ka lole ʻaukai

ka paʻalole ʻaukai

nā kāma‘a holo

nā kalipa

ka pauka ʻauʻau

ka pena lehelehe

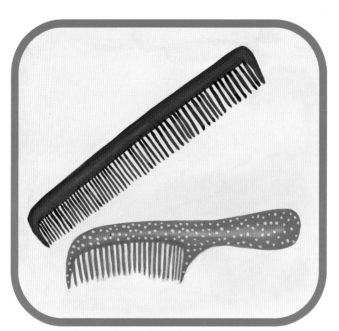

ke kahi lauoho

ke aniani pa'alima

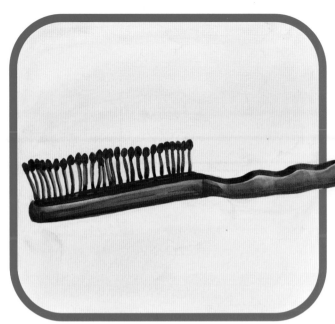

ka palaki lauoho

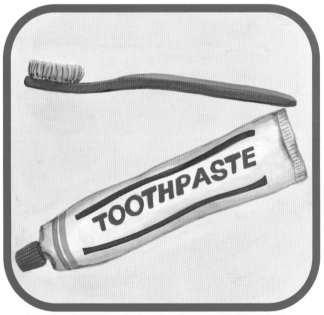

ka palaki niho me ka pauka niho

ka huʻahuʻa kopa

ke kopa ʻauʻau

ke aʻu

ke ʻahi

ke aku

ka mahimahi

87

ka lole wāwae pōkole

88

ka palaka aloha

ka lole wāwae lōʻihi

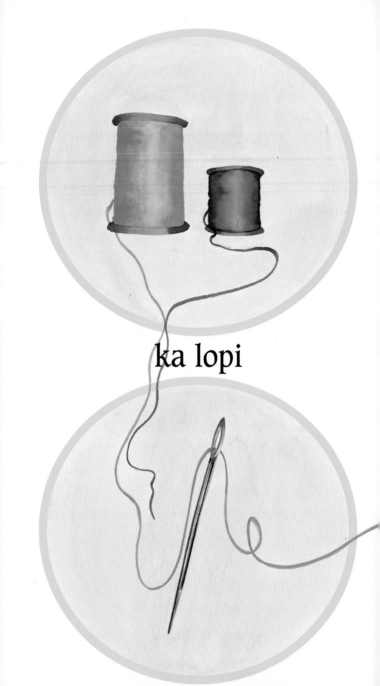

ka lopi

ke kui humuhumu

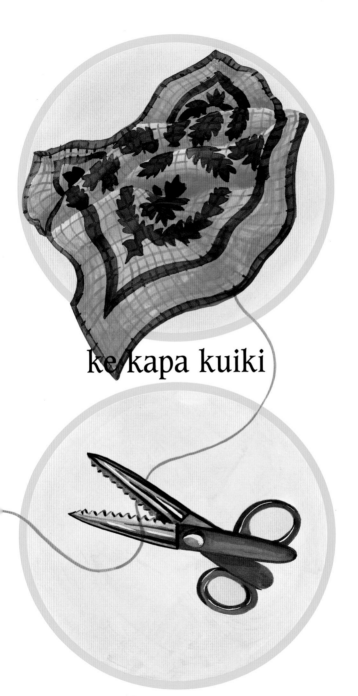

ke kapa kuiki

ka ʻūpā

ka 'ukulele

ka 'ohe hano ihu

nā pū'ili

nā ipu heke

ka waiolina

ke kalioneke

ka pū ʻohe

ke kīkā

ka naiʻa

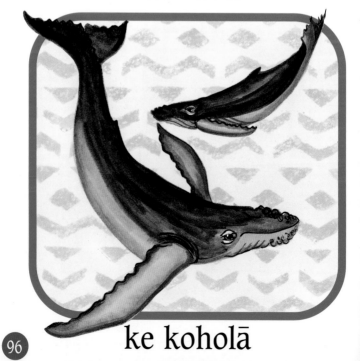

ke koholā

ka ʻilioholoikauaua

ka palaoa

ka mahiole

ka ʻahuʻula

ke kāhili

ka lei niho palaoa

ka mākini

ke kūpeʻe hoʻokalakala

ke ki'i pōhaku

ka 'eho

nā pololia

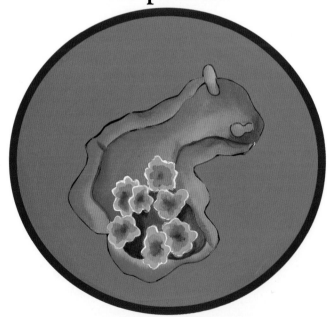

ka lepelepeohina

ka hōkū kai

ka nohu pinao

103

ka meaʻono lā hānau

ka makana lā hānau

ka haukalima

nā mea hoʻokohu pāʻina

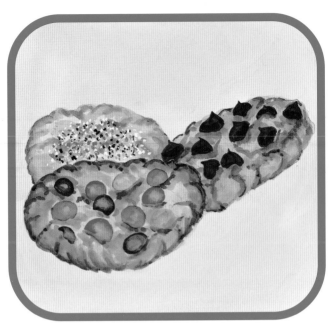

nā mea'ono kuki

nā kanakē kokoleka

nā manakō

nā kuawa

ka hua waina

ka ‘alani

ka ʻāpala

nā lemi

ka ʻili kuapo

ka papale kapu

ka lakeke

ka pale'ili

ka moa kāne

ka pua'a

nā nēnē

ka ʻōpeʻapeʻa

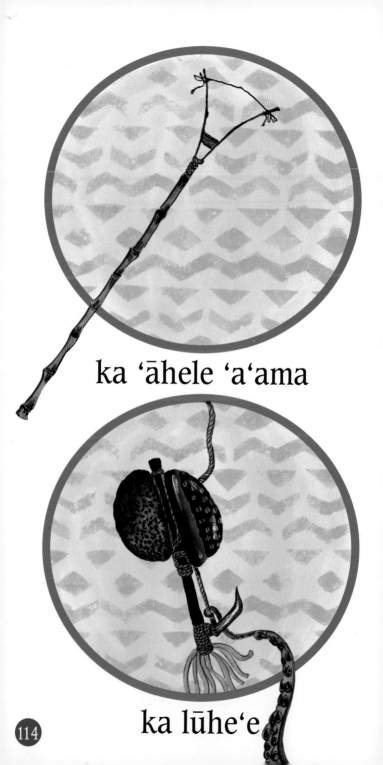

ka ʻāhele ʻaʻama

ka lūheʻe

ka hīnaʻi

ka ʻolowai

ke kumu kiawe

ke kumu mokihana

ka ʻilima

ke kumu kukui

ka hau

ka hala

ka hinahina

nā ae‘o

ke koloa

ke kōlea

ka pueo

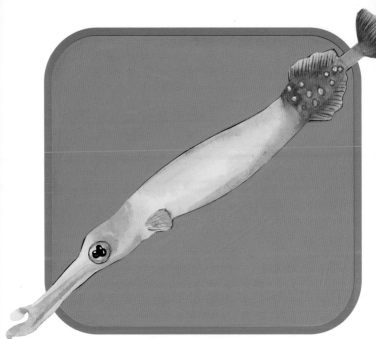

ka nūnū

ka ʻuwīʻuwī

ka ʻoʻopu hue

nā mālolo

123

ka ʻiwa

ke koaʻe kea

ka ʻā

nā ʻakekeke

ka manu ʻulaʻula

ka manu pihaʻekelo

ka ʻehakō

ka ʻāmaui

ke kumu niu

Index

A....

E....

H....

I...

K....

OTHER BOOKS BY
CASSANDRA LAND-NELLIST

HAWAIIAN HERITAGE SERIES

These are board books for little people with little hands
and little fingers.

HAWAII PONO'I: Included here are the things which
are part of Hawaii's heritage and unique to its history.
The Hawaiian flag; the state flower, the hibiscus; the
state bird, the nene; the state tree, kukui tree; the state
fish, humuhumunukunukuapuaa and so forth.

COLORS IN HAWAIIAN: These exceptionally
designed pages give the colors in Hawaiian. The pages
include pictures of birds, sea creatures, flowers, fruits
and other items that display the colors.
A beautiful book.

COUNTING HAWAIIAN PETROGLYPHS:
The numbers from one to ten are illustrated with
Hawaiian petroglyph figures representing many different
aspects of Hawaiian life. The design and colors of the
pages are glowing with brilliant color.

GECKOS' HAWAIIAN CELEBRATIONS:
These hilarious two page spreads showing the famous
Hawaiian gecko celebrating Chinese New Year,
Kamehameha Day Parade, a Baby Luau, Aloha Week
and Mele Kalikimaka will have you enjoying real
Hawaiian humor in the best sense.

Each title of the Hawaiian Heritage is $3.95.

A CHILD'S FIRST BOOK ABOUT HAWAII

A cornucopia of things Hawaiian in your child's experience of everyday life. There are foods, "da kine" local dishes - plate lunch, shave ice, poi, sushi; all kinds of vessels and vehicles - garbage truck, bus, lunch wagon, catamaran, fishing boat, ocean liner; insects - inch worm, cockroach, spider, carpenter bee; for plants a few are ginger, taro, orchid, ti; from the ocean - monk seals, dolphin, mahimahi, humpback whale; there are toys, things about the house, animals, birds, natural phenomena, music and dancing and items of our various cultures we prize. This list is a toe dip into the vast array of things which make life in Hawaii so fascinating. By the way, adults like this book too. $8.95.

All Titles can be found in Hawaii's book stores or ordered from the publisher:
Press Pacifica, Ltd.,
P.O. Box 47
Kailua, HI 96734
Telephone/Fax (808) 261-6594.
There is a postage charge of $1.50 per order for surface mail and $3.00 per order for priority mail.